Oetinger

Alles über Mama Muh

Bilderbücher
Mama Muh baut ein Baumhaus
Mama Muh braucht ein Pflaster
Mama Muh fährt Schlitten
Mama Muh feiert Weihnachten
Mama Muh räumt auf
Mama Muh schaukelt
Mama Muh will rutschen

Kinderbücher
Mama Muh und die Krähe
Mama Muh und der Kletterbaum

Geschichten von Mama Muh sind auch als Hörbuch
sowie auf CD-ROM bei Oetinger erschienen.

© Verlag Friedrich Oetinger GmbH, Hamburg 1994
Alle Rechte für die deutschsprachige Ausgabe vorbehalten
© Jujja und Tomas Wieslander 1994 (Text)
© Sven Nordqvist 1994 (Bild)
Die schwedische Originalausgabe erschien bei
Bokförlaget Natur och Kultur, Stockholm,
unter dem Titel »Mamma Mu åker bobb«
Deutsch von Angelika Kutsch
Satz: UMP Utesch Media Processing GmbH, Hamburg
Druck und Bindung: Livonia Print, Latvia
Printed in Latvia 2010
ISBN: 978-3-7891-7304-2

www.oetinger.de

Jujja und Tomas Wieslander

Bilder von Sven Nordqvist

Deutsch von Angelika Kutsch

Verlag Friedrich Oetinger · Hamburg

Es war Winter. Die Kühe waren im Stall.
Alle standen in ihren Boxen. Nur Mama
Muh nicht. Sie stand am Stallfenster
und guckte hinaus.

Da pickte es am Fenster. Mama Muh öffnete. Es war die Krähe.
»Hallo, Krähe«, sagte Mama Muh. »Hast du die Kinder gesehen?«
»Und ob«, sagte die Krähe.
»Sie fahren Schlitten«, sagte Mama Muh. »Muh, sieht das lustig aus.
Guck mal!«

Die Tochter des Bauern sauste den
Hügel herunter. Sie schleuderte
und der Schnee wirbelte hoch auf.
Sie fuhr Slalom mit dem Schlitten.
Fast wäre sie über einen Stock gefahren.
Haarscharf raste sie daran vorbei.

Sie kam zu einem Buckel.
Hops – und plumps.
Sie flog ganz weit, fiel aber
nicht vom Schlitten.

Wie schnell sie fuhr!
Da war ein Baumstumpf im Weg.
Fast wäre sie dagegen gefahren.
Aber sie konnte ihm gerade noch
ausweichen. Der Schlitten kippte
um.

Sie fiel herunter und kugelte
durch den Schnee. Das schien
ihr großen Spaß zu machen.
Oh, wie sie lachte!

»Wieso lacht sie, wo sie doch vom Schlitten gefallen ist«, sagte die Krähe.
»Es muss ihr solchen Spaß machen«, sagte Mama Muh. »Muh, wie gern
würde ich auch mal Schlitten fahren!«
»Aber krächz«, sagte die Krähe, »die Kinder liegen ja mehr im Schnee,
als dass sie auf dem Schlitten sitzen. Und das soll Spaß machen?«
»Wahrscheinlich ist das der Sinn der Sache«, sagte Mama Muh.
»Aber dazu brauchen sie doch keinen Schlitten«, sagte die Krähe.
»Dann können sie sich ja gleich in den Schnee legen und lachen.
Wenn das nun so lustig ist.«

»Wir gehen hin«, sagte Mama Muh.
Ihre Stimme klang aufgeregt.
»Was, zu den Kindern auf den Hügel?«, fragte die Krähe
und runzelte den Schnabel. »Was wollen wir da?«
»Vielleicht leihen sie uns einen Schlitten, Krähe.
Bestimmt tun sie das. Die Kinder vom Bauern sind nett.«
Die Krähe flatterte auf.
»Was redest du da!«, rief sie und schüttelte den Kopf.
»Nichts kann mich dazu bringen, mit einem Schlitten
den Hügel runterzufahren.«
»Aber muh«, sagte Mama Muh. »Ich dachte, wir beide
fahren zusammen.«
»Mit einer Kuh fahr ich erst recht nicht Schlitten.
Ich muss nach Hause!« Die Krähe öffnete das Fenster.
Sie hatte schon die Flügel ausgebreitet um loszufliegen.

»Ach, natürlich«, sagte Mama Muh, »daran hab ich gar nicht gedacht.
Es geht ja gar nicht.«

»Es geht nicht?«, sagte die Krähe und legte die Flügel wieder an.

»Nein«, sagte Mama Muh. »Dieser Schlitten hat ja ein Steuerrad.
Und ich kann nicht steuern. Ich hab doch keine Hände.
Und Krähen fahren ja nicht Schlitten.«

»Tun sie das nicht?«, fragte die Krähe und drehte sich um.

»Deswegen kannst du also auch nicht steuern«, sagte Mama Muh.

»Kann ich das nicht?«, fragte die Krähe und kam zurück. Sie reckte sich.

»Ich war wirklich dumm, Krähe«, sagte Mama Muh. »Warum sollten wir
uns einen Schlitten leihen, wenn keiner von uns beiden steuern kann.«

»Keiner von uns?« Die Krähe warf sich in die Brust. Sie räusperte sich.
»Mama Muh«, sagte sie, »weißt du, was Zugvögel sind?«
»Zugvögel?«, sagte Mama Muh.
»Ja, finkige Meisen und meisige Finken oder wie all diese kleinen
Vögel heißen, die in warme Länder ziehen, sobald es bei uns Winter wird.
Weißt du, warum die Krähen nicht mitziehen?«
»Nein«, sagte Mama Muh. »Was könnte der Grund sein?«
»Weil sie zu Hause Schlitten fahren wollen«, sagte die Krähe.
»Muhu, du!«, sagte Mama Muh. »Deswegen also!«
»*Nur* deswegen«, sagte die Krähe. »Ich bin schon Schlitten gefahren,
als ich klein war. Alle Krähen fahren Schlitten. Den ganzen Tag.
Den ganzen Winter. Und ich hab immer vorn gesessen und gesteuert.«
»Aber muh, Krähe«, sagte Mama Muh. »Was für ein Glück! Dann kannst
du ja *doch* steuern.«

Die Krähe öffnete das Fenster und hüpfte hinaus.
Sie zeigte mit dem einen Flügel.
»Zum Hügel!«, rief sie und stapfte mit großen Schritten los.
»Wie gut, dass die Kinder vom Bauern nach Hause gegangen sind,
jetzt können wir ihren Schlitten nehmen«, sagte Mama Muh
und holte ihn.

»Ich fahr zuerst!«, rief die Krähe und setzte sich auf den
Schlitten. »Jemand muss ja zuerst fahren, und das bin also ich. Schieb mich an!«
»Dich schieben?«, sagte Mama Muh.
»Jaaa!«, rief die Krähe. »Lauf und schieb mich! Man muss ordentlich Fahrt haben.
Wenn man erst mal Fahrt hat, ergibt sich der Rest von selbst. Lauf und schieb.
Schnell!«

Mama Muh plagte sich sehr. Ihre Füße versanken tief
im Schnee und der Bauch war ihr im Weg.
»Keuch. Stöhn. Laufen und schieben«, sagte Mama Muh.
»Wie macht man das eigentlich?«
»Was weiß schon eine Kuh!«, rief die Krähe und flog auf.
»Setz du dich auf den Schlitten, ich zeig es dir.«

Mama Muh setzte sich mit einem Plumps. Es krachte,
aber der Schlitten blieb heil.
»So macht man das!«, rief die Krähe und schob, dass sie
ganz rot anlief.
Der Schlitten begann den Hügel hinunterzurutschen.
»Halt dich fest, alte Kuh!«, rief die Krähe Mama Muh nach.

»Oje«, sagte Mama Muh. »Jetzt fahre ich ja Schlitten.
Wie ist *das* denn passiert? Wie schnell das geht!
Ich kann doch gar nicht steuern!«
Peng! Sie fuhr über den ersten Slalomstock.
»Oje! Ich hab einen Stock überfahren«, sagte Mama Muh.
Peng! Sie fuhr auch über den zweiten.
Peng! Sie überfuhr noch einen.
Peng! Und noch einen. Und noch einen. Und noch einen.

Sie fuhr überhaupt keine Kurven.
Sie fuhr auf jeden Stock geradewegs los.
»Ich fahr geraden Slalom!«, rief Mama Muh.
Da kam sie zu dem Buckel. Der Schlitten machte einen Hopser.
Er flog nicht besonders hoch und nicht sehr weit, aber …

... aber er bohrte sich tief in
den Schnee und kippte um.
Mama Muh fiel runter und rollte
ein ganzes Stück den Hügel hinunter.
Als sie liegen blieb, sah sie aus wie ein
großer Schneeball mit Hörnern.

Schnell kam die Krähe angeflogen.
Sie kreuzte die Flügel und guckte sehr streng.
»Du hast alle Slalomstöcke überfahren«, sagte sie. »Jeden!«
»Muh, hat das Spaß gemacht«, sagte Mama Muh und schüttelte sich
vor Lachen.
»Du bist über den Buckel geflogen!«, sagte die Krähe. »Komisch,
dass der Schlitten das ausgehalten hat.«
»Am meisten Spaß hat das Runterfallen gemacht«, sagte Mama Muh.
»Jetzt ist hier eine tiefe Grube im Schnee«, sagte die Krähe. »Du bist
zu dick, Mama Muh.«
»Aber muh«, sagte Mama Muh, »ich bin überhaupt nicht zu dick.
Der Schnee ist zu weich. Das ist es.«

Die Krähe fing an den Hügel hinaufzulaufen.
»Jetzt bin ich an der Reihe!«, rief sie.
Mama Muh zog den Schlitten hinter sich her.
»Mir ist ein bisschen kalt am Schwanz geworden«, sagte sie.
»Der ist beim Runterrutschen durch den Schnee geschleift.«
»Wenn man Schlitten fahren will, darf man eben keinen
Schwanz haben!«, rief die Krähe. »Gleich wirst du sehen,
wie ich das mache.«
»Nächstes Mal häng ich einen Ski an den Schlitten«,
sagte Mama Muh. »Da kann ich dann den Schwanz
drauflegen.«

Die Krähe stand ganz oben auf dem Hügel
und rief: »Beeil dich, Mama Muh.
Komm endlich mit dem Schlitten,
ich will auch fahren.«
Mama Muh keuchte und ächzte
den Hügel hinauf.

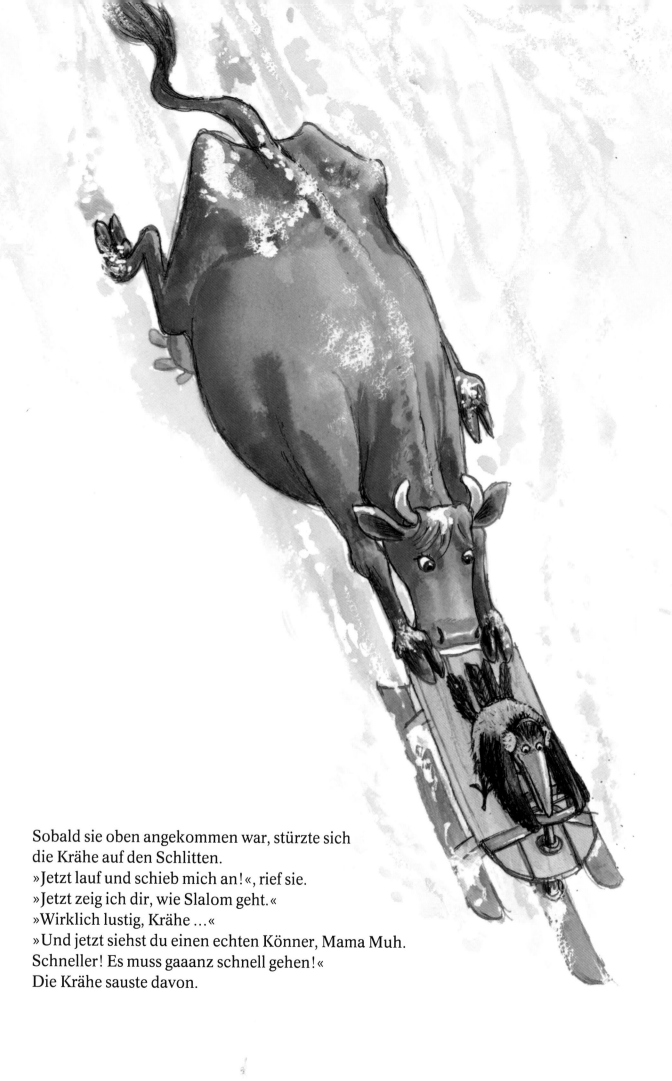

Sobald sie oben angekommen war, stürzte sich
die Krähe auf den Schlitten.
»Jetzt lauf und schieb mich an!«, rief sie.
»Jetzt zeig ich dir, wie Slalom geht.«
»Wirklich lustig, Krähe …«
»Und jetzt siehst du einen echten Könner, Mama Muh.
Schneller! Es muss gaaanz schnell gehen!«
Die Krähe sauste davon.

»Pass auf, der Baumstumpf«,
rief Mama Muh.
»Volle Fahrt voraus!«,
schrie die Krähe.
Sie fuhr sehr schnell.
Sie überfuhr nicht einen
einzigen Stock.
Sie fuhr waghalsige Kurven,
dass der Schnee nur so aufwirbelte.
»Zack!«, rief die Krähe.
»Und wieder zack.
Und zack und zack.
Gut gefahren, Krähe, sehr gut!

Guck mal, ich breite die Flügel aus.
Ich fahre ohne mich festzuhalten.
Nein! Noch besser! Ich stehe
auf dem Schlitten.
Nein, jetzt weiß ich!
Ich steh auf einem Bein!
Nun guck dir nur die Krähe an!
Ich leg mich hin!
Ich liege auf dem Bauch und fahre!

Und jetzt erst!
Ich kann's kaum selber glauben.
Ich liege auf dem Rücken und fahre!
Und hier kommt der Buckel. «

Der Schlitten flog hoch in die Luft.
Da ließ die Krähe los und flatterte auf.
Als der Schlitten wieder aufsetzte, landete sie.
Genau auf dem Steuerrad.
»Ich stehe auf dem Rad und steuere!«,
rief die Krähe. »Hast du das gesehen, Mama
Muh? Das machst du mir nicht nach!

Noch besser!«, rief die Krähe.
»Ich stehe auf dem Rad und
steuere. Ohne mich festzuhalten.
Ich hab nicht mal gewusst, dass
ich das kann. Unglaublich!
Ich dreh mich um. Jetzt fahr ich
rückwärts, ohne mich festzuhalten.
Was für ein Kunststück! Einmalig!

Jetzt steh ich auf dem Rad, fahr rückwärts,
ohne mich festzuhalten, und mach die Augen zu.
Ich bin einzigartig! Volle Fahrt! Abwärts,
auf den Baumstumpf zu. Schlittenfahren macht Spaaaß!
Baumstumpf?! Was für ein Baumstumpf …«

»Du bist dagegen gefahren, Krähe«, sagte Mama Muh. »Du bist
durch die Luft geflogen und auf dem Hinterteil gelandet.«

»Du, Mama Muh«, sagte die Krähe leise, »ich hab das Fliegen
vergessen.«

»Wie ist denn das passiert, Krähe? Hast du dir wehgetan?«

»Nein«, sagte die Krähe und fühlte nach. »Ich hab mir nicht
wehgetan, aber der Schnee hat mir wehgetan. Am Hinterteil.«

»Arme kleine Krähe«, sagte Mama Muh.

»Ächz«, sagte die Krähe. »Komisch, dass Schnee, der so weich ist,
so hart sein kann. Ich will nach Hause.«

»Was, du willst schon nach Hause?«, sagte Mama Muh.

»Ja«, sagte die Krähe, »und ich hab weit zu gehen.«

»Du willst *gehen*?«

»Ja«, sagte die Krähe leise. »Mir tut doch das Hinterteil so weh.
Heute kann ich wohl nicht mehr fliegen. Tschüs also«,
sagte sie und wankte durch den Schnee davon.

»Heute musste die Krähe nach Hause *gehen*«, sagte Mama Muh.
»Aber sie scheint nicht besonders traurig zu sein.
Ich glaub, das Schlittenfahren hat ihr Spaß gemacht.
Und mir hat es auch Spaß gemacht.
Aber am meisten Spaß hat das Runterfallen gemacht.«

Jujja Wieslander, geboren 1944, und **Tomas Wieslander** (1940–1996), wurden in Schweden mit Liedern und Bewegungsspielen für Kindergärten und Vorschulen populär. Sie produzierten Kindersendungen im Rundfunk und schrieben international erfolgreiche Kinderbücher, darunter die Geschichten von Mama Muh und der Krähe aus dem Krähenwald. Das Ehepaar und Autorenteam wurde für den Deutschen Jugendliteraturpreis nominiert und für sein Gesamtwerk mit dem „Heffaklumpen" der schwedischen Zeitung „Expressen" ausgezeichnet.

Sven Nordqvist, geboren 1946 in Helsingborg, gehört zu den erfolgreichsten schwedischen Autoren und Illustratoren. International bekannt wurde er durch die Geschichten vom einfallsreichen Pettersson und seinem Kater Findus. Darüber hinaus sind von ihm mehrere Sachbücher für Kinder bei Oetinger erschienen.
Sven Nordqvist wurde u. a. mit dem Elsa-Beskow-Preis, dem Deutschen Jugendliteraturpreis, dem schwedischen Astrid-Lindgren-Preis für sein Gesamtwerk sowie mit dem renommierten schwedischen August-(Strindberg-) Preis ausgezeichnet.